CW01023531

C)

Argraffiad Cymraeg cyntaf: Mawrth 2000

ISBN 1-902416-23-6

Dychmygol yw holl ddigwyddiadau a chymeriadau'r nofel hon.

Dymuna'r cyhoeddwyr gydnabod cymorth adrannau
Cyngor Llyfrau Cymru.

Cysodwyd ac argraffwyd gan Wasg Gomer, Llandysul SA44 4BQ.

Cyhoeddwyd gan Gymdeithas Lyfrau Ceredigion Gyf.,
Ystafell B5, Y Coleg Diwinyddol Unedig, Stryd y Brenin,
Aberystwyth, Ceredigion SY23 2LT.

⊙ *Cyfres Cefn y Rhwyd* ⊙

ELGAN PHILIP DAVIES

Lluniau gan John Shackell

CYMDEITHAS LYFRAU CEREDIGION Gyf.

Pennod 1

'Cyffro'r Cwpan! Does dim byd tebyg iddo. Yn y Cwpan mae pawb yn dechrau â thudalen lân. Pawb! Mae'n fis Ionawr, mae'n flwyddyn newydd ac yn gyfle newydd i bawb. Mae hynny'n golygu bod gennym ni, BMG Unedig hefyd gyfle i wneud marc ar y byd pêl-droed. Mae'n hanner ffordd drwy'r tymor; fe enillon ni'r ddwy gêm ddiwetha ac mae pethau wedi gwella yn y gynghrair. Mae'n wir inni golli'r chwe gêm gyntaf yn drwm a gadael tri deg pump o goliau i mewn gan sgorio dim ond pedair gôl ar ddeg . . .'

Peidiodd tad Arwyn â cherdded yn ôl ac ymlaen ar hyd llawr yr ystafell wely ac edrychodd ar ei lun yn y drych. Anadlodd yn ddwfn i dynnu ei fola i mewn. Trodd i edrych arno'i hun o'r ochr, a daliodd ei anadl am ychydig eiliadau cyn chwythu'r gwynt allan o'i ysgyfaint yn araf. Chwyddodd ei fola fel balŵn unwaith eto.

'Na,' meddai wrtho'i hun. 'Gwell peidio sôn am yr holl beli sydd wedi cyrraedd cefn y rhwyd. Bod yn gadarnhaol sy'n bwysig. Cytuno?' gofynnodd iddo'i hun yn y drych.

'Cytuno,' atebodd ei hun, gan nodio ar ei adlewyrchiad. Ac, wrth gwrs, fe nodiodd yr adlewyrchiad yn ôl. Cododd tad Arwyn ei law i'w ben a'i gosod ar y darn moel ar ei gorun. Roedd yn siŵr ei fod yn lledu, a'i fod yn colli ei wallt yn gyflym. Aeth i chwilio am ddrych arall i gael gweld yn well.

Roedd tad Arwyn wedi bod yn cerdded yn ôl ac ymlaen ar hyd llawr yr ystafell wely yn siarad ag ef ei hun ac yn gwneud stumiau yn y drych am yn agos i hanner awr. Mae gwaith hyfforddwr tîm pêl-droed yn gallu cael effaith ryfedd iawn ar rai pobl, ac efallai bod Mark Hughes a John Toshack hefyd yn siarad â nhw eu hunain weithiau. Ond nid yr holl straen a'r gofidio oedd i gyfrif am y sgwrs roedd tad Arwyn yn ei chael ag ef ei hun. Paratoi ei araith ar gyfer cwrdd â'i dîm roedd ef.

Un ymarfer canol wythnos oedd ar ôl cyn i gystadleuaeth Cwpan Clwb Cinio'r dref ddechrau. Ar ôl y gynghrair, Cwpan y Clwb Cinio oedd y gystadleuaeth fwyaf ar gyfer timau pêl-droed ysgolion cynradd y cylch. Byddai enwau'r un tîm ar bymtheg oedd yn y ddwy adran yn cael eu rhoi mewn het ac yna'u tynnu fesul un. Golygai hynny y gallai unrhyw un o dimau'r ddwy adran chwarae yn erbyn ei gilydd, a gallai timau'r ail adran freuddwydio am roi crasfa go iawn i un o dimau mawr yr adran gyntaf. Ennill, ac fe fyddai'r tîm drwodd i'r rownd nesaf; colli, ac fe fyddai allan o'r gystadleuaeth.

Dim ond y tymor hwnnw y ffurfiwyd tîm BMG Unedig. Fe ddylai'r chwaraewyr – y bechgyn, o leiaf – fod yn chwarae i ail dîm Ysgol Glanaber, ond gan fod Arolygwyr Ei Mawrhydi yn ymweld â'r ysgol yn ystod y flwyddyn, nid oedd Mr Mathews, y prifathro, yn credu bod ganddo'r amser i hyfforddi dau dîm. Roedd tad Arwyn wedi cynnig helpu Mr Mathews ond roedd Mr Mathews wedi gwrthod. A dyna pam y ffurfiodd tad Arwyn BMG Unedig.

Roedd BMG Unedig wedi cael dechrau gwael i'r tymor, yn colli pob un o'i chwe gêm gyntaf. Ond yna'n sydyn fe ddechreuodd pethau wella ac roedd y tîm wedi ennill y ddwy gêm olaf cyn y Nadolig. Roedden nhw wedi codi o waelod yr ail adran i'r chweched safle ac yn edrych ymlaen yn eiddgar at gystadleuaeth Cwpan y Clwb Cinio.

Y prynhawn hwnnw byddai'r enwau'n cael eu tynnu ar gyfer y rownd gyntaf, ac roedd rhai o chwaraewyr BMG Unedig wedi dechrau breuddwydio'n barod am dynnu a threchu un o dimau mawr yr adran gyntaf. Weithiau fe fyddai tad Arwyn hefyd yn breuddwydio; breuddwydio mai tîm Ysgol Glanaber fyddai eu gwrthwynebwyr ac y byddai'n dysgu gwers i Mr Mathews, a dangos unwaith ac am byth mai ef oedd yr hyfforddwr gorau.

'Felly cofiwch,' meddai tad Arwyn, gan geisio anghofio am y gwagle oedd yn lledu eiliad wrth eiliad ar draws ei gorun. 'Mae gyda ni gystal siawns â nhw i ennill. Un gêm ar y tro, a phwy a ŵyr, efallai . . .'

Canodd y ffôn a neidiodd tad Arwyn i'w ateb. Efallai mai hon oedd yr alwad i ddweud pa dîm y bydden nhw'n ei chwarae ddydd Sadwrn.

'Helô?'

'Helô. Ysgrifennydd cystadleuaeth Cwpan y Clwb Cinio sydd yma.'

Ie! Hon oedd yr alwad!

'Ffonio ydw i,' meddai ysgrifennydd cystadleuaeth Cwpan y Clwb Cinio, 'i ddweud pwy fydd BMG Unedig yn eu chwarae ddydd Sadwrn.'

'Ie . . .' meddai tad Arwyn, yn teimlo'r glöynnod byw yn dechrau hedfan o gwmpas ei stumog.

Enwodd yr ysgrifennydd y tîm.

'Dyna chi. Pasiwch y bêl 'na i'r bwlch o flaen y chwaraewr. Pasiwch hi i ble y bydd y chwaraewr yn rhedeg. Da iawn, Angharad. O flaen Robbie, Hefin, iddo fe gael rhedeg arni. Dyna fe, da iawn.'

Curodd tad Arwyn ei freichiau er mwyn cadw'n gynnes. Gan fod y ddaear wedi rhewi'n gorn, roedd e wedi canolbwyntio ar ymarfer sgiliau yn lle chwarae gêm; y peth olaf roedd ei angen arno oedd i un o'r chwaraewyr gwympo a'i anafu ei hun ar y cae caled. Eisoes roedd un aelod o'r tîm, sef James 'JJ' Jenkins, gartre o'r ysgol yn dioddef gan y dolur rhydd, ac roedd ei salwch wedi bod yn destun hwyl i rai o'i gyd-chwaraewyr. Ond roedd JJ yn gwella ac yn gobeithio y byddai'n holliach ar gyfer y gêm ddydd Sadwrn.

Roedd y sesiwn ymarfer yn dod i ben a phawb wedi gweithio'n arbennig o galed – hyd yn oed Robbie a oedd yn tueddu i fod yn hunanol ac yn hoff iawn o'i ddangos ei hun mewn gêm, ond yn ddiog iawn yn yr ymarferion. Efallai bod Robbie o'r diwedd yn dechrau chwarae fel aelod o dîm, meddyliodd tad Arwyn yn obeithiol.

Trodd car i mewn i'r maes chwarae a gyrru'n araf tuag atynt. Chwythodd tad Arwyn ei chwîb a galw pawb ato.

'Da iawn; dyna'r cyfan dwi am ei ymarfer heno.'

'Hwrê!' meddai ambell un o'r plant a oedd bron â sythu yng ngwynt oer mis Ionawr.

'Ond mae un peth ar ôl i'w wneud. Gobeithio'ch bod chi i gyd wedi dod â'ch crysau Macbyrgyr gyda chi.'

Roedd un neu ddau'n eu gwisgo'n barod, o dan siacedi eu tracwisgoedd, ac aeth y gweddill i'w nôl o'u bagiau.

Arhosodd y car a dringodd dyn allan ohono a

cherdded tuag at y tîm; cariai ddau fag lledr caled – un bach sgwâr ac un hir crwn.

'Dwi'n gweld eich bod chi'n barod,' meddai'r dyn wrth dad Arwyn.

'Amseru da; newydd orffen ymarfer.'

'Y llun pêl-droed arferol fyddwch chi ei eisiau? Dwy res: y rhes flaen yn penlinio a'r rhes gefn yn sefyll a'u breichiau wedi'u plethu.'

'Ie, allwch chi ddim gwneud yn well na hynny,' meddai tad Arwyn, gan edrych ar aelodau'r tîm.

Nodiodd pawb; roedden nhw am gael llun a oedd yn union yr un fath â'r lluniau ar waliau eu hystafelloedd gwely.

Roedd tad Arwyn wedi llwyddo i gael bwyty Macbyrgyr i noddi BMG Unedig ac i brynu cit newydd sbon iddyn nhw. Nawr roedd rheolwr Macbyrgyr am gael llun o'r tîm yn eu cit newydd i'w roi ar wal y bwyty.

'Iawn, 'te,' meddai'r ffotograffydd, gan agor y ces hir crwn a thynnu treipod y camera allan. 'Fydda i ddim yn hir.'

'O'r gorau,' meddai tad Arwyn, gan droi at y tîm. 'Trefnwch eich hunain mewn dwy res.'

Neidiai rhai o'r plant i fyny ac i lawr i

gadw'n gynnes, tra curai eraill eu breichiau rhag i'w gwaed rewi. Rhuthrodd y rhai oedd yn gwisgo'u crysau'n barod i'r blaen, gan adael y lleill ar ôl i gymryd eu lle yn y rhes gefn. Ond hyd yn oed wedyn roedd tipyn o wthio a thynnu rhwng bechgyn y rhes flaen. Fel capten BMG Unedig, Arwyn ddylai fod yng nghanol y rhes honno, ond tra oedd Arwyn yn tynnu ei dracwisg, roedd Robbie wedi cydio yn y bêl a gwthio i mewn i ganol y rhes flaen rhwng Dai Un a Dai Dau, a oedd wedi bwriadu eistedd bob ochr i'r capten.

'Hei! Cer mas!' gwaeddodd Dai Un gan geisio gwthio Robbie allan. Nid oedd Dai Un a Robbie'n ffrindiau mawr ar y gorau; byddai Robbie byth a beunydd yn beirniadu taclo amddiffynnol Dai Un ac yn aml yn ei feio ef am adael yr ymosodwyr drwodd i sgorio.

Pwysodd Robbie dros Dai Un ac ysgyrnygu ei ddannedd arno, 'GRRRRRRR!'

'Cer o'ma, Robbie!' gwaeddodd Dai Un, gan geisio'i wthio i ffwrdd. Ond roedd Robbie'n fwy ac yn gryfach na Dai Un.

'GRRRRRRRRR!' rhuodd Robbie eto, yn uwch.

'Cer o'ma!'

'GRRRRRylp!'

Roedd Dai Dau (a oedd yn fwy ac yn gryfach na Robbie) wedi cydio yn Robbie a'i daflu allan o'r rhes.

Cododd Robbie ar ei draed a throi i wynebu Dai Dau.

'Dyna ddigon!' galwodd tad Arwyn. 'Does dim eisiau ymladd; mae digon o le i bawb. Arwyn yn y canol, Angharad a Stephanie bob ochr iddo, Robbie ar bwys Angharad . . .'

'Dwi ddim yn mynd ar ei phwys hi,' meddai

Robbie. Doedd Angharad ddim yn un o'i ffrindiau pennaf.

'Robbie ar bwys Angharad,' ailadroddodd tad Arwyn yn bendant. 'Hefin rhwng Stephanie a Morgan. A'r gweddill ohonoch chi yn y rhes gefn. Iawn?'

Roedd rhai yn fwy parod nag eraill i ufuddhau, ond o'r diwedd aeth pawb i'w lle.

Wel, bron pawb.

'Arhoswch amdana i!' galwodd Dewi'r gôl-geidwad a oedd yn stryffaglio i wisgo'i grys dros ei gap a'i fenig.

'Rhian!' galwodd tad Arwyn. 'Cer i sefyll ym mhen y rhes gefn.'

Siglodd Rhian ei phen. Doedd hi ddim yn chwarae pêl-droed, ond hi oedd prif gefnogwr BMG Unedig.

'Dere 'mlaen,' gorchmynnodd tad Arwyn, ac yn gyndyn cymerodd Rhian ei lle ym mhen y rhes.

'Pawb i wenu!' galwodd y ffotograffydd.

Gwenodd pawb.

'Pwy ydyn ni'n eu chwarae ddydd Sadwrn?' gofynnodd Hefin rhwng dannedd a oedd yn clecian gan oerfel a gwefusau a geisiai gadw'r wên yn llydan.

'O . . . ym . . . y . . .' meddai tad Arwyn a ddaliwyd heb ateb parod.

'Tîm y gallwn ni ei guro?' gofynnodd Dai Un o ochr ei geg.

'A'u curo nhw'n rhacs?' meddai Dai Dau, gan chwythu ar ei ddwylo.

'Wel . . .' dechreuodd tad Arwyn.

'Un o'r timau mawr?' gofynnodd Angharad.

'Dwi ddim yn eu hofni nhw,' meddai Robbie'n haerllug.

'Na finne,' meddai Dewi. 'Fe laddwn ni nhw!'

'Wel . . .' dechreuodd tad Arwyn unwaith eto.

'Ai tîm yr ysgol ydyn nhw?' gofynnodd Stephanie.

'O, na!' meddai Arwyn.

'Na, na, nid Ysgol Glanaber ydyn nhw,' meddai ei dad.

'Wel pwy, 'te?' gofynnodd y tîm gyda'i gilydd.

'Em . . .'

'Ie?'

'Cenawon A.'

'Pawb i wenu,' meddai'r ffotograffydd eto.

Ond roedd y freuddwyd wedi dechrau troi'n hunllef, a diflannodd y wên yn llwyr oddi ar wynebau aelodau BMG Unedig.

Pennod 2

'Cenawon A?' meddai Arwyn, cyn ailadrodd yr enw â pharchedig ofn. 'Cenawon A!'

'Nhw sy wedi ennill y cwpan am y tair blynedd diwetha,' meddai Dai Un.

'Am y pedair blynedd diwetha,' cywirodd Dai Dau.

'Ers i'r gystadleuaeth ddechrau, mae'n siŵr,' meddai Hefin.

'Ac mae'n rhaid i ni eu chwarae nhw yn y rownd gynta,' meddai Morgan.

'Does gyda ni ddim gobaith,' meddai Dewi.

Nodiodd y lleill. Roedd BMG Unedig wedi ennill yn erbyn Cenawon B yn y gynghrair, ond roedd Cenawon A yn dîm gwahanol iawn.

Byth er i dad Arwyn wneud y cyhoeddiad y noson cynt, y gêm oedd yr unig beth fu ar feddwl aelodau BMG Unedig. Y gêm ddydd Sadwrn oedd testun sgwrs pawb – wel, ar wahân i'r merched a gadwai'n glir o'r bechgyn yn yr ysgol, a Robbie nad âi ar gyfyl bechgyn y tîm yn ystod yr amseroedd egwyl. Cenawon A oedd tîm gorau'r dref; nhw fyddai'n ennill bron

bob cystadleuaeth bron bob blwyddyn. Er bod
tîm Ysgol Glanaber wedi bod ar frig y
gynghrair am bythefnos ar ddechrau mis
Tachwedd, erbyn hyn roedd Cenawon A wedi
eu disodli ac yn dechrau tynnu'n glir oddi wrth
y timau eraill.

Byddai Arwyn a'i ffrindiau'n chwarae pêl-
droed yn ystod yr awr ginio fel arfer, ond
heddiw doedd dim awydd arnyn nhw.
Gadawodd Arwyn y gweddill a mynd i chwilio
am Angharad. Nid oedd hi a Stephanie wedi
dweud dim eto am orfod chwarae yn erbyn
Cenawon A. Roedd y ddwy yn aelodau pwysig
o'r tîm – wedi'r cyfan, Bechgyn a Merched
Glanaber Unedig oedd eu henw – ac roedd
Arwyn am wybod beth roedd y merched yn ei
feddwl.

Daeth Arwyn o hyd i Angharad, Stephanie a
Rhian yng nghyntedd yr ysgol yn tynnu posteri
o'r hysbysfwrdd.

'Hei! Beth ydych chi'n ei wneud?'
gofynnodd Arwyn yn wyllt. Roedd Mr
Mathews wedi dweud wrth bawb droeon nad
oedd neb i roi posteri ar yr hysbysfwrdd na'u
tynnu heb ei ganiatâd ef.

'Dal rhain,' meddai Angharad, gan wthio swp o bosteri i'w ddwylo.

'Na wna i,' meddai Arwyn, gan ollwng y posteri. Nid oedd ef am fod yn rhan o hyn.

'Paid â bod yn hen fabi,' meddai Rhian, gan godi'r posteri. 'Mae Mrs Adams wedi dweud wrthon ni am dynnu'r hen bosteri i lawr cyn i'r arolygwyr eu gweld.'

'Braidd yn hwyr,' meddai Arwyn. Roedd yr arolygwyr wedi bod yn yr ysgol er dydd Llun, a gan eu bod nhw byth a hefyd yn sbecian yn fanwl ar bawb a phopeth, roedden nhw'n siŵr o fod wedi sylwi ar yr hen bosteri erbyn hyn.

'Beth yw'r ots os yw'r posteri'n hen?' gofynnodd Arwyn. 'Pwy sy'n poeni?'

'Mr Mathews,' meddai Stephanie. 'Dywedodd wrth Mrs Adams y dylai hi fod wedi eu tynnu nhw lawr yr wythnos diwetha.'

'Ac fe ddywedodd Mrs Adams bod gyda hi ddigon o waith arall i'w wneud yr wythnos diwetha,' meddai Angharad.

'Ond roedd Mr Mathews am iddi eu tynnu nhw nawr,' meddai Rhian.

'Ond mae Mrs Adams yn dal yn rhy brysur,' meddai Stephanie.

'Ac fe gynigion ni eu tynnu nhw yn ei lle hi,' meddai Angharad.

'Da iawn chi,' meddai Arwyn, heb boeni dim am Mr Mathews, Mrs Adams, arolygwyr na phosteri; roedd ganddo ef bethau pwysicach i boeni amdanyn nhw. 'Beth ydych chi'n ei feddwl am chwarae Cenawon A ddydd Sadwrn?'

'Bydd hi'n gêm dda,' meddai Stephanie.

'Gêm dda?' meddai Arwyn.

'Dwi'n edrych 'mlaen,' meddai Angharad.

'*Edrych 'mlaen*?' meddai Arwyn.

'Beth sy'n bod arnoch chi fechgyn?' gofynnodd Angharad. 'Chi oedd yn brolio pa mor dda y byddech chi'n gallu chwarae, ac yn edrych ymlaen at drechu timau'r adran gynta.'

'Ie, wel, falle . . .' mwmialodd Arwyn.

'Dwi ddim yn eich deall chi,' meddai Rhian. 'Ddylech chi fod yn falch o'r cyfle i gystadlu ar y lefel uchaf.'

'Cystadlu ar y . . . Ydych chi'n gall? Fe gawn ni'n chwalu. Ein sathru i mewn i'r ddaear. Ein cicio allan o'r parc.'

'Paid â bod yn ddwl,' meddai Angharad.

'Dwl?'

'Ie. Shwd allan nhw ein cicio ni allan o'r parc os ydyn nhw wedi ein sathru ni i mewn i'r ddaear?'

Syllodd Arwyn yn syn ar y merched. Chwarddodd y tair wrth weld yr olwg hurt ar ei wyneb a cherdded allan o'r cyntedd.

Ni allai Arwyn gredu ei glustiau. Sut gallai'r merched edrych ymlaen at y gêm yn erbyn Cenawon A? Onid oedden nhw'n sylweddoli bod BMG Unedig am golli'n rhacs? Efallai bod Robbie'n iawn, meddyliodd; dyw merched ddim yn gwybod unrhyw beth am bêl-droed.

Gadawodd Arwyn yr adeilad gan deimlo'n llai gobeithiol nag erioed. Cerddodd heibio i gornel yr ysgol a gweld Mr Mathews yn siarad ag un o'r arolygwyr. Heb yn wybod iddo'i hun, arafodd Arwyn, a sefyll i wrando ar y sgwrs.

'Wrth gwrs bod chwaraeon yn bwysig,' clywodd Arwyn Mr Mathews yn ei ddweud wrth yr arolygwr. 'Meddwl iach mewn corff iach yw'r hen ddihareb, yntefe?'

Agorodd yr arolygwr ei geg i ddweud rhywbeth ond ni chymerodd Mr Mathews sylw ohono.

'Cydchwarae, cydweithio, cyd-fyw; dyna dwi'n ei gredu. Mae'n bwysig iawn fel rhan o ddatblygiad plant eu bod nhw'n cael cyfle i gymryd rhan. Ydych chi'n cytuno?'

Agorodd yr arolygwr ei geg unwaith eto, ond ni chafodd amser i gytuno nac i anghytuno gan i Mr Mathews fynd yn ei flaen.

'Dyna pam rydyn ni'n ymfalchïo yn ein rhaglen chwaraeon; mae pawb yn cael cyfle i gymryd rhan ac i gynrychioli'r ysgol.'

Hy! meddyliodd Arwyn, doedd ef a gweddill aelodau BMG Unedig ddim yn cael cyfle i gynrychioli'r ysgol. Pe na bai ei dad wedi ffurfio BMG Unedig ni fyddai Arwyn wedi cael cyfle i chwarae gêm iawn o bêl-droed ers misoedd.

'Pob plentyn yn cael chwarae'r gêm mae'n ei hoffi. Pêl-droed i'r bechgyn a hoci i'r merched, dyna . . .'

'Ac os yw'r merched am chwarae pêl-droed?' gofynnodd yr arolygwr ar draws Mr Mathews.

'Hoci yw'r gêm i ferched,' meddai Mr Mathews yn bendant. 'Mae hoci'n llawer gwell gêm i ferched na phêl-droed. Dyw hi ddim mor gorfforol. Dim taclo, dim cicio. Mae popeth hyd ffon i ffwrdd.'

'Ydych chi wedi cael ergyd gan ffon hoci erioed?' gofynnodd yr arolygwr.

'Pwy, fi?' gofynnodd Mr Mathews, gan chwerthin. '*Fi*'n chwarae hoci?'

'Mae timau hoci dynion i'w cael.'

'Oes, dwi'n gwybod, ond pêl-droed yw'r gêm. Mae'n siŵr y byddech chi'n cytuno.'

'Ac mae timau pêl-droed merched i'w cael.'

'Oes, mae'n siŵr,' meddai Mr Mathews yn sychlyd.

'Felly, Mr Mathews,' meddai'r arolygwr, gan edrych i fyw llygaid y prifathro, 'dydych chi ddim yn credu y dylai merched chwarae pêl-droed.'

'Wrth gwrs ni ddyla . . .' dechreuodd Mr Mathews, ond yna stopiodd yn sydyn a'i geg ar agor led y pen. Roedd Mr Mathews newydd gofio ei fod yn siarad ag un o'r arolygwyr a oedd yn Ysgol Glanaber i weld sut roedd ef a'r athrawon eraill yn dysgu'r plant. Ac roedden nhw yno hefyd i weld a oedd y plant yn cael chwarae teg i gymryd rhan yn holl weithgareddau'r ysgol.

Carthodd Mr Mathews ei wddf. 'Hy-hem! Wrth gwrs . . .' meddai'n araf. 'Wrth gwrs, ni . . . Hy-hem! . . . ni ddylai neb . . . y . . . chwarae gêm nad . . . y . . . nad yw'n ei hoffi.'

'Ac os yw'r bechgyn yn hoffi hoci, neu'r merched yn hoffi pêl-droed?'

'Hy-hem!' Carthodd Mr Mathews ei wddf

eto, yn methu'n lân ag ateb cwestiwn yr arolygwr.

O'i guddfan ger cornel yr adeilad, edrychai Arwyn yn syn ar yr olygfa. Roedd Mr Mathews yn gwingo fel anifail gwyllt mewn magl. Roedd yn ymddwyn yn union yr un fath ag y byddai pan fyddai Arwyn a'r bechgyn eraill yn siarad ag ef am BMG Unedig. Gan mai BMG oedd llythrennau cyntaf Borussia München Gladbach, hoff dîm pêl-droed Mr Mathews, ni allai ddweud enw BMG Unedig i achub ei fywyd.

'Ie?' gofynnodd yr arolygwr.

'Wel . . . Hy-hem!' meddai Mr Mathews, gan dynnu ei fys rhwng ei wddf a choler ei grys. Ond cyn iddo orfod ateb fe gerddodd bachgen o Flwyddyn 4 i mewn i'r iard a galw arno.

'Mr Mathews!'

'Em, ie, Simon?' meddai Mr Mathews.

'Mae Mrs Hughes yn dweud bod rhywun eisiau siarad â chi ar y ffôn.'

'Oes?' meddai Mr Mathews yn ddifater, ond yna sylweddolodd fod Simon yn

cynnig dihangfa iddo. 'Oes wir, Simon? Galwad ffôn, ie? Gwell i fi ddod ar unwaith.' Trodd i edrych ar yr arolygwr. 'Esgusodwch-fi-mae'n-rhaid-i-fi-fynd,' meddai'n gyflym cyn brasgamu i ffwrdd a gadael yr arolygwr ar ei ben ei hun.

'Hy!' meddai'r arolygwr, ac roedd hi'n amlwg i Arwyn nad oedd y dyn yn hapus fod Mr Mathews wedi diflannu mor sydyn heb ateb ei gwestiwn.

Efallai, meddyliodd Arwyn, y byddai'n well iddo yntau ddiflannu hefyd.

Dechreuodd symud i ffwrdd yn dawel ac yn araf cyn i'r arolygwr ei weld.

'Hei! Ti!'

Ond ddim yn ddigon tawel, ac efallai ychydig yn rhy araf.

Rhewodd Arwyn.

'Dere 'ma.'

Trodd Arwyn i wynebu'r arolygwr. Efallai, gobeithiodd Arwyn, nad oedd e wedi sylwi arno'n clustfeinio. Efallai mai wedi anghofio'r ffordd yn ôl i ystafell y staff oedd e a'i fod am i Arwyn ei arwain yno. Efallai mai am wybod yr amser oedd e. Doedd bosib ei fod wedi sylwi arno'n clustfeinio.

'Fyddi di'n arfer clustfeinio ar sgyrsiau pobl?' gofynnodd yr arolygwr, a oedd, mae'n amlwg, yn gallu darllen meddwl Arwyn.

'Hem . . .' dechreuodd Arwyn, fel pe bai'n dynwared Mr Mathews.

Gwelodd yr arolygwr y tebygrwydd rhwng y ddau hefyd, a gwenodd.

'Beth yw dy enw di?'

'Arwyn.'

'Pa gêm sydd orau gen ti, Arwyn, pêl-droed neu hoci?'

'P . . . pêl-droed,' atebodd Arwyn.

'Wyt ti'n chwarae pêl-droed?'

Nodiodd Arwyn. 'Ydw.'

'I dîm yr ysgol?'

Siglodd Arwyn ei ben. 'Nage.'

'Dydyn nhw ddim yn ddigon da i ti, ydyn nhw?' meddai'r arolygwr gan wenu.

'Na,' atebodd Arwyn, yn rhy nerfus i ddeall y jôc.

'I ba dîm wyt ti'n chwarae, 'te?' gofynnodd yr arolygwr.

'BMG Unedig.'

'Enw diddorol. Beth yw ystyr BMG?'

'Bechgyn a Merched Glanaber.'

'Mae bechgyn *a* merched yn chwarae i'r tîm?'

Nodiodd Arwyn.

'Glanaber? Ydyn nhw i gyd yn ddisgyblion yn Ysgol Glanaber?'

Nodiodd Arwyn eto. 'Ydyn.'

'Da iawn. Da iawn, wir,' meddai'r arolygwr. 'Tybed pam na soniodd Mr Mathews wrtha i amdanoch chi?'

Roedd gan Arwyn syniad go dda pam nad oedd Mr Mathews wedi sôn am BMG Unedig, ond ni wyddai sut oedd egluro'r sefyllfa wrth arolygwr, felly dywedodd, 'Rydyn ni'n chwarae ddydd Sadwrn.'

'Ydych chi?'

'Yng nghystadleuaeth y Cwpan.'

'Cwpan Clwb Cinio'r dref?'

'Ie.'

'Yn erbyn pwy?'

'Cenawon A,' meddai Arwyn, gan dynnu wyneb hir.

'Ydyn nhw'n dîm da?' gofynnodd yr arolygwr a golwg ddifrifol ar ei wyneb.

'Y gorau.'

'O.'

'Ie,' cytunodd Arwyn.

'Ond paid digalonni, mae gan bawb gyfle yn y Cwpan.'

'Dyna beth mae Dad yn ei ddweud.'

'Wel, mae e'n iawn. Dwi'n edrych 'mlaen at weld BMG Unedig yn chwarae.'

'Dydych chi ddim yn dod i weld y gêm?' gofynnodd Arwyn yn wan.

'Ydw. Mae Mr Mathews wedi dweud cymaint wrtha i am dîm pêl-droed yr ysgol, roeddwn i'n meddwl mynd i'w gweld nhw'n chwarae. Ac fe ddof i i weld BMG Unedig yn chwarae hefyd.'

Ac yn colli yn erbyn Cenawon A, meddyliodd Arwyn.

'Ac efallai'n ennill yn erbyn Cenawon A,' meddai'r arolygwr, a oedd yn bendant yn gallu darllen ei feddwl.

Pennod 3

Dydd Sadwrn. Diwrnod y gêm. Doedd dim troi 'nôl nawr. Ennill neu golli, erbyn amser cinio fe fyddai'r cyfan drosodd. Allan o'r gystadleuaeth neu drwodd i'r rownd nesaf. Allan, fwy na thebyg, meddyliodd Arwyn wrth iddo godi o'i wely heb frwdfrydedd. Cerddodd at y ffenest a llusgo'r llenni ar agor. Llifodd haul gwan mis Ionawr i mewn i'r ystafell drwy'r haenen denau o rew. Crynodd Arwyn a phlethu ei freichiau o dan ei geseiliau.

'Yryryryryr!' meddai rhwng dannedd crynedig. Edrychodd ar ei wely cynnes ac ar ei ddillad pêl-droed oer ar y gadair. Doedd dim cystadleuaeth. Tynnodd ei byjamas a dechrau gwisgo.

'Does dim rhaid i chi fynd yno mor gynnar â hyn,' meddai mam Arwyn wrth i'w dad ac yntau lowcio'u creision ŷd yn gyflym ac yn swnllyd. 'Dydych chi ddim yn chwarae tan ddeg o'r gloch.'

'Dwi eisiau . . . (LLYRP! CRANSH!) . . .' meddai tad Arwyn, '. . . gweld y timau y byddwn ni'n . . . (CRANSH! CRANSH! LLYRP!) . . . eu chwarae . . . yn y rownd (CRANSH! LLYRP!) . . . nesa.'

'Hy!' meddai Arwyn. 'Chi'n . . . (CRANSH! CRANSH!) . . . meddwl yr awn ni drwodd i'r . . . (CRANSH! LLYRP! CRANSH!) . . . rownd nesa?'

'Pam . . . (CRANSH! CRANSH! LLYRP!) . . . lai? Mae gyda ni gystal . . . (CRANSH! LLYRP! CRANSH!) . . . siawns ag unrhyw un arall . . . (CRANSH! LLYRP! LLYRP!). Gall Cenawon A gael diwrnod gwael ac fe allwn ni gael . . .

(LLYRP! CRANSH!) . . . diwrnod da. Mae llawer yn dibynnu ar y . . . (CRANSH! LLYRP! CRANSH!) . . . dyfarnwr. Os gallwn ni . . . (CRANSH! CRANSH! LLYRP!) . . . ei gael e ar ein hochr ni, fe allai unrhyw beth . . . (CRANSH! CRANSH! LLYRP!) . . . ddigwydd . . . (LLYRP! LLYRP!). Reit, wyt ti'n barod?'

'(LLYRP!) . . . Od . . . (CRANSH!) . . . w . . . (LLYRP!).'

Safai Hefin o flaen siop Spar yn disgwyl amdanynt.

''Ia, Hefs,' meddai Arwyn, wrth i Hefin ddringo i mewn i'r car.

''Ia, Ar,' meddai Hefin, wrth iddo gau'r gwregys diogelwch.

Edrychodd tad Arwyn ar y ddau fel pe baen nhw'n dod o blaned arall. Yn ystod y misoedd o hyfforddi BMG Unedig daethai'n gyfarwydd â'r iaith ryfedd a siaradai'r bechgyn â'i gilydd, ond daliai i grafu ar ei glust.

'Mae Arsenal ar *Match of the Day* heno,' meddai Hefin.

'Arsenal!' meddai Arwyn yn ddirmygus.

'Maen nhw'n chwarae'n well na Man U, beth bynnag.'

'Hy! Pryd enillodd Arsenal Gwpan Pencampwyr Ewrop ddiwetha?'

'Dyw Man U ddim yn mynd i'w ennill e leni!'

'O, na?' gwaeddodd Arwyn.

'Na!' gwaeddodd Hefin.

'Hy!' bloeddiodd Arwyn.

'Hy!' bloeddiodd Hefin.

'Hei! Hei!' sgrechiodd tad Arwyn. 'Beth sy'n bod arnoch chi'ch dau? Allwch chi ddim siarad yn gall yn lle mynd am yddfau eich gilydd? Hyd yn oed os ydych chi'n anghytuno, does dim eisiau cyfarth a gweiddi. Mewn llai nag awr fe fyddwch chi'n chwarae yn yr un tîm, yn cydchwarae, yn cyd-dynnu, a dyma chi'n dadlau fel dau . . . fel dau . . . fel dau . . .' Ond ni allai tad Arwyn feddwl am ddau beth a oedd yn dadlau cynddrwg â'r ddau bêl-droediwr hyn.

Ond wedyn, meddyliodd tad Arwyn, doedd ryfedd bod y ddau ar bigau'r drain. Roedd heddiw yn ddiwrnod mawr ac fe fyddai'r awyrgylch a'r tensiwn yn siŵr o effeithio ar weddill y tîm hefyd. Fel rheolwr, ei waith ef oedd eu helpu i ymddwyn yn gall, i gadw'u pennau a pheidio â cholli eu pwyll.

'BLAAAAAP!!'

Canodd tad Arwyn gorn y car yn hir ar gar arall a oedd newydd dynnu allan yn sydyn o'u blaen. Canodd gyrrwr y car arall ei gorn yn ôl a gyrru i ffwrdd yn ddi-hid.

'Idiot!' gwaeddodd tad Arwyn, er na allai'r gyrrwr ei glywed. 'Edrych i ble'r wyt ti'n mynd!'

Ac roedd ar fin rhoi caniad arall i'r corn pan gofiodd am Arwyn a Hefin yn y cefn, a stopiodd ei hun mewn pryd. Gwell peidio cynhyrfu'r ddau, meddyliodd; mae ganddyn nhw ddigon i feddwl amdano fel mae hi. Gyrrodd yn ei flaen yn dawel.

Yn y cefn, roedd Arwyn a Hefin bron â hollti eu hochrau eisiau chwerthin.

Roedd y maes parcio yn ymyl Parc Cae Mawr yn orlawn pan gyrhaeddodd y tri. Ceir rhieni a chefnogwyr y timau oedd yn chwarae'r gêmau cyntaf oedd y rhain. Gyrrodd tad Arwyn o gwmpas yn araf yn chwilio am le gwag.

'Beth am fan'co?' meddai Arwyn.

'Ble?'

'Yr ochr arall i'r Sierra coch.'

'Pa Sierra coch?'

'Hwn'co.'

'Ble?'

'Ar bwys y . . . Rhy hwyr.'

'Dwed yn gynt tro nesa weli di le,' meddai tad Arwyn, yn goch ei wyneb ac yn fyr ei dymer ar ôl stryffaglio i droi'r car i wynebu rhan y maes parcio y pwyntiai Arwyn tuag ato.

'Mae car yn gadael fan'co,' meddai Hefin.

Trodd tad Arwyn i'r cyfeiriad hwnnw a gweld Volvo glas yn tynnu allan.

'Da iawn, Hefin,' meddai, gan ddechrau troi'r car o gwmpas unwaith eto. Ond roedd y lle rhwng y rhesi ceir mor gyfyng fel y bu'n rhaid iddo yrru yn ôl ac ymlaen bedair gwaith cyn bod y car yn wynebu'r ffordd iawn.

'Glou, Dad!' galwodd Arwyn.

'Dwi'n dod!' galwodd ei dad yn fyr ei dymer, gan wthio'r car yn swnllyd i mewn i gêr.

'Mae rhywun arall yn parcio 'na.'

'*Beth*!'

Gwasgodd tad Arwyn ar y sbardun a saethodd y car ymlaen.

Ond roedd yn rhy hwyr. Gyrrodd BMW coch i mewn i'r lle parcio, ac eiliad yn ddiweddarach dringodd dyn bychan â mwstás mawr du allan ohono.

Agorodd tad Arwyn ffenest y car a galw arno, 'Hei! Fy lle i yw hwnna!'

Syllodd y dyn arno a dweud yn swta, 'Y cyntaf i'r felin.'

'A fi welodd e gynta!' mynnodd tad Arwyn.

Crychodd y dyn ei drwyn a chododd y mwstás fel byffalo ar y paith. 'Dwi ddim yn

credu i mi weld enw neb ar y llawr, ond mae croeso i ti gropian dan y car os wyt ti'n meddwl bod dy enw di yno.'

'Hei, mêt,' meddai tad Arwyn, yn bustachu i agor ei wregys, 'paid meddwl y gelli di siarad â fi . . .'

'Fe fydden i wrth fy modd yn sgwrsio'n hir am y peth,' meddai'r dyn gan dynnu ces allan o sedd gefn y car. 'Rwyt ti'n swnio'n berson diddorol iawn, ond mae gen i waith pwysig i'w wneud.'

'Mae gen inne waith pwysig i'w wneud hefyd . . .' meddai tad Arwyn, gan ddringo allan o'r car.

'Dad!' galwodd Arwyn, ond ni chymerodd ei dad sylw ohono.

'. . . a dyna pam mae'n rhaid i fi barcio fan hyn.'

'Wel,' meddai'r dyn, 'beth bynnag yw dy waith pwysig di, all e ddim fod mor bwysig â 'ngwaith pwysig i.'

'O, nagyw e?'

'Nagyw.'

'Na?' meddai tad Arwyn.

'Na,' meddai'r mwstás.

'Dad!' meddai Arwyn, gan bwyso allan drwy ffenest y car.

'Na?' meddai tad Arwyn, gan gymryd cam yn agosach at y mwstás.

'Na!' meddai'r mwstás, gan grynu'n fygythiol ar dad Arwyn.

'DAD!'

'Hy!'

'Hy!'

'DAD!!'

'Beth?'

'Mae lle gwag yn fan'co.'

Gyrrodd car melyn heibio a gwelodd tad Arwyn y lle parcio gwag.

'Reit, mêt,' meddai, gan droi at y dyn mwstasiog. Ond roedd y dyn – a'i fwstás – yn prysuro i ffwrdd i gyfeiriad y Ganolfan Hamdden.

'Reit,' meddai tad Arwyn, gan ddringo i mewn i'r car a gwenu'n nerfus ar Arwyn a Hefin. 'Dyna'i osod e yn ei le. Dwi ddim yn credu y gwelwn ni fe eto ar frys,' a heb wastraffu eiliad arall, gyrrodd i mewn i'r lle parcio.

Pennod 4

Erbyn i dad Arwyn barcio'r car ac i'r tri ohonynt wneud eu ffordd i'r meysydd pêl-droed, roedd gweddill aelodau tîm BMG Unedig wedi hen gyrraedd yno.

Safai'r tîm mewn rhes ar hyd ystlys y cae pellaf yn disgwyl i'r gêm rhwng Ysgol Glanaber ac Is-y-Bont ddechrau. Ar ganol y cae safai aelodau tîm Ysgol Glanaber yn glwstwr clòs o gwmpas Mr Mathews. Roedden nhw'n gwrando'n astud ar ei gyfarwyddiadau 'tic-tacs' funud olaf. Gwelai tad Arwyn ben Mr Mathews ynghanol y tîm. Roedd yn siarad pymtheg y dwsin, gan bwyntio at wahanol aelodau o'r tîm nawr ac yn y man i danlinellu ei bwynt.

'Pwy yw chwaraewyr gorau'r ysgol?' gofynnodd ei dad i Arwyn.

'Andrew Griffiths a Daniel Huw.'

'Pwy ydyn nhw?'

'Dyw Andrew ddim yn chwarae, mae e'n sâl.'

'A Russell,' meddai Hefin.

'Beth sy'n bod arnyn nhw?'

'Yr un peth ag oedd ar JJ,' meddai Dewi, gan ddechrau chwerthin.

Yn ystod y pythefnos diwethaf, roedd plant sawl un o ysgolion y cylch wedi bod yn dioddef gan salwch stumog, ond JJ oedd yr unig aelod o BMG Unedig i ddioddef, a diolch byth, roedd ef wedi gwella'n llwyr.

Gorffennodd y cyfarfod ar ganol y cae a cherddodd chwaraewyr Ysgol Glanaber i ffwrdd. Er mawr syndod iddo, gwelodd tad Arwyn fod Mr Mathews yn gwisgo gwisg ddu dyfarnwr.

'Pam mae Mr Mathews yn gwisgo cit dyfarnwr?' meddyliodd yn uchel.

'Fe sy'n dyfarnu'r gêm,' meddai Angharad.

'All hynny ddim bod yn iawn. Mae Mr Mathews yn hyfforddi un o'r timau.'

'Mae sawl un o'r hyfforddwyr eraill yn dyfarnu hefyd,' meddai Arwyn.

'Ydyn nhw?' meddai ei dad yn syn. 'Gêmau mae eu timau nhw'n chwarae ynddyn nhw?'

'Ie,' meddai Arwyn.

'Wyddwn i mo hynny,' meddai tad Arwyn.

Eleni oedd y tro cyntaf iddo ef gymryd rhan ym myd pêl-droed yr ardal; nid oedd yn adnabod rheolwyr y timau eraill, felly sut roedd disgwyl iddo ef wybod eu bod yn cael bod yn ddyfarnwyr hefyd? Nid oedd wedi meddwl llawer am y dyfarnwyr; roedden nhw yno'n gwneud eu gwaith, a dyna fe.

Yn sicr doedd neb wedi gofyn iddo *ef* ddyfarnu . . .

'Ofynnodd neb i *fi* ddyfarnu,' lleisiodd tad Arwyn ei feddyliau mewn llais bach truenus, yn union fel pe na bai neb wedi ei ddewis i chwarae yn eu tîm ar iard yr ysgol.

Rhedodd tîm Is-y-Bont allan i'r cae a phrysurodd Mr Mathews i gael y ddau dîm i'w lle. Edrychodd ar ei oriawr ac yna o'i amgylch cyn chwythu ei chwîb i ddechrau'r gêm – ac i ddechrau sesiwn hyfforddi i dîm Ysgol Glanaber.

'Arhosa 'nôl, Andrew!' galwodd Mr Mathews ar un o'r cefnwyr wrth iddo ddechrau rhedeg i fyny ar ôl y bêl. 'Hywel, allan yn llydan. Lawr y canol, Daniel. Andrew! Aros 'nôl! Edrych ar Tony, Aled. Edrych arno fe!'

Croesodd Tony Harris y bêl i mewn i'r canol ond daliodd gôl-geidwad Is-y-Bont hi'n hawdd.

'Pawb 'nôl!' galwodd Mr Mathews.

Ufuddhaodd chwaraewyr Ysgol Glanaber.

'Cadwch eich siâp!' gorchmynnodd Mr Mathews, a chadwodd y chwaraewyr at eu safleoedd.

Cadwodd chwaraewyr Is-y-Bont at eu

safleoedd hefyd wrth iddyn nhw symud i mewn i hanner Glanaber o'r cae. Pasiodd y blaenwyr y bêl yn fedrus drwy'r bylchau bychain ar ymylon amddiffyn Glanaber. Ond roedd yr amddiffyn yn dal yn gadarn yn y canol ac yn gorfodi Is-y-Bont i basio'r bêl yn ôl ac ymlaen o'r naill asgell i'r llall i chwilio am ffordd drwodd. Roedd y ddau dîm yn chwarae'n dda. Yn dda iawn.

Ni chawsai tad Arwyn gyfle i wylio gêm rhwng dau dîm o'r adran gyntaf o'r blaen, a sylweddolodd fod yna wahaniaeth mawr rhwng safon y ddwy adran. Gwyddai nawr pam nad oedd Arwyn a'r gweddill yn edrych ymlaen at chwarae Cenawon A; does neb am golli o ryw dri deg gôl i ddim.

'Ydi Cenawon A yn well na'r ddau dîm hyn?' gofynnodd i Arwyn, ond roedd Arwyn a gweddill bechgyn y tîm wedi rhoi'r gorau i wylio'r gêm ac yn cicio pêl at ei gilydd – ar wahân i Robbie a oedd wedi mynd i sefyll yn ymyl gôl Ysgol Glanaber. Safai'r merched wrth yr ystlys o hyd ond roedden nhw'n brysur yn siarad â'i gilydd.

'Siaradwch â'ch gilydd!' galwodd Mr

Mathews ar amddiffynwyr tîm yr ysgol wrth i'w gwrthwynebwyr barhau i bwyso a chwilio am fwlch. Ond daeth yr ymosodiad i ben pan lithrodd un o chwaraewyr Is-y-Bont a cholli'r bêl.

Neidiodd Llywelyn, brawd Angharad, ar y bêl a dechrau gwrthymosod yn syth. Roedd hynny hefyd yn arwydd i Mr Mathews ailddechrau hyfforddi ei dîm.

'Symudwch i fyny! Cefnogwch eich gilydd!'

Ufuddhaodd y tîm a dechrau gwau patrymau ymosodol wrth basio'r bêl yn ôl ac ymlaen a rhedeg i mewn i fylchau yn chwilio am y bêl. Roedd yn rhaid i dad Arwyn gydnabod bod ôl ymarfer a hyfforddi ar y chwaraewyr. Ond beth am yr hyfforddi yn ystod y gêm? Siglodd tad Arwyn ei ben. Pam nad oedd rhywun yn cwyno am hyn? Nid oedd yn cofio dyfarnwyr gêmau BMG Unedig yn y gynghrair yn hyfforddi eu timau. Byddai ambell un yn gweiddi anogaeth ar y chwaraewyr – ar chwaraewyr y *ddau* dîm. Efallai mai rhywbeth i'w wneud â'r gystad-leuaeth rhwng timau'r adran gyntaf oedd e; bod y gystadleuaeth a'r ennill yn bwysicach na'r chwarae. Roedd pethau'n wahanol iawn yn yr adran gyntaf, mae'n amlwg, meddyliodd.

'Edrych! Edrych!' galwodd Mr Mathews ar Llywelyn.

Edrychodd Llywelyn a gweld bod Daniel yn rhydd yn y cwrt cosbi. Cododd Llywelyn y bêl yn uchel dros ben yr amddiffyn. Roedd y bàs wedi ei mesur i'r fodfedd a disgynnodd y bêl yn dwt wrth draed Daniel. Rhedodd y cefnwr ar draws y cefn i atal Daniel, ond roedd yn rhy hwyr. Heb oedi, ciciodd Daniel y bêl ag ochr fewn ei esgid a gwyrodd hi heibio gôl-geidwad Is-y-Bont ac i gefn y rhwyd.

'IEEEEEE!' gwaeddodd cefnogwyr Ysgol Glanaber, ac yn eu plith aelodau BMG Unedig. Rhedodd Daniel yn ôl i gymeradwyaeth ei gyd-chwaraewyr. O leiaf doedd dim o'r dathlu dros-ben-llestri roedd timau'r ail adran mor hoff o'i wneud, meddyliodd tad Arwyn. Dyna un peth da y gallai ei ddweud am ddisgyblaeth Mr Mathews.

Pwyso ac amddiffyn fu hanes gweddill yr hanner cyntaf, gyda'r ddau dîm yn dod o fewn trwch blewyn i sgorio sawl gwaith, ond ar yr egwyl un gôl i ddim i Ysgol Glanaber oedd y sgôr.

Dechreuodd yr ail hanner yr un mor glòs ac

roedd tad Arwyn wedi ymgolli yn y gystadleuaeth. Roedd hefyd wedi llwyddo i gau allan holl gynghorion hyfforddi Mr Mathews ac yn mwynhau'r gêm.

'Geraint? Geraint Jones?'

Dihunodd tad Arwyn o'i ganolbwyntio a throi i weld pwy oedd yn galw arno. Syllodd ar y dyn am rai eiliadau ond yna'n sydyn daeth yr wyneb dieithr yn un cyfarwydd a chofiodd pwy oedd e.

'Dafydd! Dafydd Williams! Dwi ddim wedi dy weld di ers blynyddoedd.'

'Ers sawl blwyddyn.'

'Rwyt ti'n edrych yn dda,' meddai tad Arwyn, gan sylwi ar ei wallt du, trwchus.

'Dwyt ti ddim wedi newid dim, chwaith,' meddai Dafydd Williams.

'O, dwi ddim yn gwybod,' meddai tad Arwyn, gan dynnu ei het wlân yn dynnach am ei ben. 'Ond beth ar y ddaear wyt ti'n ei wneud yma?'

'Dwi yma gyda 'ngwaith ac yn meddwl yr hoffen i weld gêm bêl-droed.'

'O'r safon yma?'

'Pam lai? Pêl-droed yw pêl-droed ac mae

unrhyw gêm bêl-droed yn well nag unrhyw gamp arall.'

'Ie, dwi'n cofio,' meddai tad Arwyn. 'Roeddet ti'n ddwl am bêl-droed yn y coleg hefyd.'

'Wastad wedi bod.'

'Gest ti gêm brawf broffesiynol unwaith, on'd do fe?'

'Do, i Lerpwl, ond ddaeth dim byd ohoni.'

'Y gamp yw cael cynnig prawf yn y lle cynta.'

'Falle,' meddai Dafydd Williams. 'Ond pam wyt ti yma? Dwi ddim yn dy gofio di fel cefnogwr brwd.'

'Na, doeddwn i ddim, ond fel ti, mae'r mab yn ddwl am bêl-droed.'

'Ydi e'n chwarae yn y gêm hon?' gofynnodd Dafydd Williams, gan droi i edrych ar y gêm.

'Na, yn y gêm nesa ar y cae yma.'

'Dwi'n deall bod Cwpan y Clwb Cinio yn dipyn o gystadleuaeth.'

'Ydi, mae hi, ond eleni yw'r tro cynta i fi gymryd diddordeb yn y gystadleuaeth, ac mae'n rhaid i fi ddweud bod yr holl beth yn dipyn o agoriad llygad.'

'O?'

'Oeddet ti'n gwybod bod hyfforddwyr yn gallu bod yn ddyfarnwyr hefyd?'

'Wel, oeddwn; mae hynny yn digwydd.'

'Cymera di ddyfarnwr y gêm hon,' meddai tad Arwyn. 'Prifathro Ysgol Glanaber yw e, ac nid yn unig mae e'n dyfarnu'r gêm, mae e hefyd yn hyfforddi ei dîm yn ystod y gêm.'

'Aros allan, Hywel!' gwaeddodd Mr Mathews ar ei asgellwr i brofi pwynt tad Arwyn.

'Wel, yn anffodus mae hynny'n digwydd hefyd,' meddai Dafydd Williams. 'Rhan o waith y dyfarnwr yw annog y chwaraewyr – chwaraewyr y ddau dîm – a cheisio cael y gorau allan ohonyn nhw, ond mae ambell ddyfarnwr yn tueddu i ffafrio'i dîm ei hun.'

''Nôl yn ddwfn, Aled!' gwaeddodd Mr Mathews, heb wybod bod ei berfformiad yn cael ei feirniadu ar yr ystlys.

'Sut un yw tîm Ysgol Glanaber?' gofynnodd Dafydd.

'Mae e gyda'r gorau yn yr ardal, ond efallai bod y prifathro'n cymryd y cyfan ychydig bach yn rhy ddifrifol.'

'Dim digon o hwyl?'

'Falle.'

'Ond beth wyt ti'n ei feddwl fyddai orau gan y chwaraewyr? Cael hwyl a cholli neu fod o ddifri ac ennill?'

'Wel, ie, ennill, mae'n siŵr,' meddai tad Arwyn, gan gofio pa mor ddiflas oedd aelodau BMG Unedig pan oedden nhw'n colli bob dydd Sadwrn. 'Ond mae'n rhaid bod yna fan hapus rywle yn y canol rhwng y ddau.'

'Wel, falle bod 'na, ond prin yw'r rheolwyr sy'n llwyddo i droedio'r tir hwnnw.'

'Wel, dyna dwi'n trio'i wneud.'

Trodd Dafydd Williams i edrych ar ei hen ffrind a gofyn, 'Wyt ti'n hyfforddi?'

'Paid edrych mor syn. Y mab, fel dywedais i, sy'n ddwl am bêl-droed ac wedi gobeithio chwarae i ail dîm yr ysgol, ond gan fod arolygwyr yn ymweld â'r ysgol eleni penderfynodd y prifathro mai un tîm yn unig fyddai gan yr ysgol y tymor hwn.'

'Arolygwyr, ddywedaist ti?'

'Ie.'

'Ym mha ysgol mae dy fab?'

'Ysgol Glanaber.'

'PENNAU!' galwodd rhywun ar yr ystlys, a throdd tad Arwyn mewn pryd i weld y bêl yn hedfan fel roced tuag ato. Estynnodd Dafydd ei law allan a dal y bêl yn fedrus cyn ei thaflu i un o chwaraewyr Is-y-Bont.

'Ein pêl ni yw hi!' galwodd Tony Harris.

'Nage, ni,' meddai chwaraewr Is-y-Bont. 'Gyffyrddodd hi â ti ddiwetha.'

'Naddo!'

'Do!'

'Syr!' apeliodd Tony.

Trodd pawb i edrych yn ddisgwylgar ar Mr Mathews. Ond safai Mr Mathews yn gegrwth gan syllu fel pysgodyn marw ar dad Arwyn a Dafydd Williams.

'Be . . . beth?'

'Ein pêl ni yw hi, syr,' meddai Tony Harris.

'O'r gorau,' meddai Mr Mathews cyn newid ei feddwl. 'Nage. Tafliad i Is-y-Bont fydd hi.'

'Ond, syr, nhw giciodd hi allan.'

'Paid â dadlau a thrio dylanwadu ar y dyfarnwr, Tony.' A chwythodd Mr Mathews ei chwîb i ailddechrau'r gêm.

'Dad,' sibrydodd Arwyn yn ymyl ei dad. '*Dad.*'

'Ie.'

'Ydych chi wedi bod yn siarad â'r dyn 'na?'

'Siarad â pwy?'

'*Hwnna*,' sibrydodd Arwyn, gan nodio tuag at Dafydd Williams a cheisio cadw allan o'i olwg ar yr un pryd.

'Ydw, pam?'

'Un o'r arolygwyr yw e.'

Pennod 5

'Arolygwyr?' meddai tad Arwyn, ychydig ar goll. 'O, yn yr ysgol, ti'n feddwl?'

'Ie, fe sy'n . . .'

Ond cyn i Arwyn gael cyfle i ddweud mwy, dyma Dafydd Williams yn dweud, 'Shwd wyt ti heddiw, Arwyn?'

Ciliodd Arwyn ychydig ymhellach y tu ôl i'w dad. Mae'n rhaid bod gan y dyn lygaid yng nghefn ei ben, meddyliodd.

'Wyt ti'n edrych ymlaen at y gêm?' gofynnodd Dafydd, gan droi i edrych ar Arwyn.

Cododd Arwyn ei ysgwyddau.

'Ateb yn iawn, Arwyn,' meddai ei dad, gan ei dynnu i sefyll o'i flaen.

'Ddim yn siŵr.'

'Paid meddwl gormod amdani. Cer allan i'r cae i fwynhau dy hun. Iawn?'

'Iawn,' meddai Arwyn yn dawel.

'Mae tîm da gan yr ysgol,' meddai'r arolygwr.

'Oes,' cytunodd Arwyn.

Tra oedd Arwyn yn siarad â Dafydd

Williams, dilynai ei dad y gêm. Ond nid campau'r chwaraewyr a dynnai ei sylw yn awr, ond yn hytrach ymddygiad Mr Mathews. Roedd yn gwneud llawer llai o hyfforddi a llawer mwy o annog.

'Da iawn, Is-y-Bont!' galwai Mr Mathews pan fyddai un o'u chwaraewyr yn pasio'n dda neu'n gwneud tacl bwysig, neu hyd yn oed yn taflu'r bêl i mewn o'r ystlys.

'O, anffodus, Is-y-Bont!' galwai Mr Mathews pan fyddai un o'u chwaraewyr yn methu gyda chic at gôl, yn colli'r bêl, neu hyd yn oed yn baglu drosti ac yn syrthio ar y llawr.

Ac ar ôl iddo annog a chanmol Is-y-Bont fel hyn, fe fyddai Mr Mathews yn edrych i gyfeiriad Dafydd Williams ar yr ystlys; fel plentyn bach sydd am wneud yn siŵr ei fod yn cael ei weld yn gwneud rhywbeth da.

Roedd hyn i gyd, ynghyd â'r ffaith fod Mr Mathews yn chwythu ei chwîb bron bob munud, wedi arafu'r gêm, a doedd fawr ddim gobaith cael gôl arall. Llusgodd munudau olaf yr ail hanner heibio a gorffennodd y gêm gyda

buddugoliaeth o un gôl i ddim i Ysgol
Glanaber.

Yn syth ar ôl iddo chwythu'r chwiban olaf,
rhuthrodd Mr Mathews at Dafydd Williams.

'Bore da, Mr Williams,' meddai Mr Mathews,
gan wenu ar Dafydd a cheisio anwybyddu Arwyn
a'i dad.

'Bore da, Mr Mathews,' meddai Dafydd.

'Dwi'n gweld eich bod chi'n nabod fy ffrind,
Dafydd,' meddai tad Arwyn.

'Ff . . . ffrind?' meddai Mr Mathews.

'O ddyddiau coleg.'

'Ff . . . ffrind?' meddai Mr Mathews.

'Ers yn agos i bymtheng mlynedd.'

'Ff . . . ffrind?' meddai Mr Mathews.

'Llongyfarchiadau,' meddai Dafydd. 'Mae
Ysgol Glanaber drwodd i'r rownd nesa.'

'Ydyn ni?' gofynnodd Mr Mathews cyn
sylweddoli beth roedd Dafydd wedi ei ddweud.
'O, ydyn, on'd ydyn ni.'

'Gêm dda iawn,' meddai Dafydd.

'Roeddwn i'n gallu'ch gweld chi'n siarad
â'ch gilydd,' meddai Mr Mathews, gan edrych
yn nerfus o Dafydd at dad Arwyn.

'Am yr hen ddyddiau,' meddai Dafydd.

'O, da iawn,' meddai Mr Mathews, ei ryddhad yn amlwg.

'A ffrindiau,' meddai Dafydd.

'O, da iawn, iawn,' meddai Mr Mathews gan wenu'n braf ar bawb.

'A phêl-droed, wrth gwrs,' meddai tad Arwyn.

'P . . . p . . . pêl-droed?' meddai Mr Mathews.

'Tîm yr ysgol.'

'Gla . . . Gla . . . Glanaber?'

'A BMG Unedig.'

'B . . . B . . . B . . .' ond ni allai Mr Mathews orffen y frawddeg y tro hwn.

'Mae hi bron â bod yn amser i BMG Unedig chwarae, mae'n siŵr,' meddai Dafydd Williams. 'Ac mae'n debyg mai hwn yw'r dyfarnwr sy'n dod draw nawr.'

Y mwstás sylwodd tad Arwyn arno gyntaf. Fel byffalo yn symud ar draws y paith daeth y mwstás tuag atynt gan dynnu'r dyn bychan y tu ôl iddo.

'O, na,' meddai tad Arwyn. Roedd y cyfan roedd ef wedi ei ddweud wrth Arwyn a Hefin am gael y dyfarnwr ar eu hochr wedi diflannu gyda'r dadlau a'r gweiddi yn y maes parcio.

'Helô, bawb,' meddai'r dyfarnwr o'r tu ôl i'r mwstás.

'Bore da,' meddai Dafydd, a nodiodd Mr Mathews ei gyfarchiad, yn dal yn rhy sigledig i siarad.

'A sut wyt ti erbyn hyn?' meddai'r dyfarnwr wrth dad Arwyn.

'Iawn, diolch,' mwmialodd tad Arwyn, fel bachgen bach drwg.

'Ti yw hyfforddwr BMG Unedig?' gofynnodd y mwstás.

'Ie,' gwichiodd tad Arwyn mewn llais anarferol o fain.

'Dwi'n ofni bod gen i newyddion drwg i ti,' meddai'r dyfarnwr.

Gwingodd tad Arwyn; gwyddai mai peth peryglus iawn oedd dadlau â dyfarnwr, ond doedd bosib fod dadlau mewn maes parcio'n cyfri?

'Ffoniodd hyfforddwr Cenawon A bum munud yn ôl i ddweud bod hanner y tîm yn diodde gan ryw salwch, a'i bod hi'n rhy hwyr iddo gael chwaraewyr yn eu lle. Felly, bydd rhaid gohirio'r gêm.'

'Ei chwarae hi rywbryd eto, chi'n feddwl?' gofynnodd Dafydd Williams.

'Ie.'

'Ond mae hynny'n groes i reolau Cymdeithas Hybu Pêl-droed Ysgolion Cymru,' meddai Dafydd.

'O, felly?' meddai'r dyfarnwr, wrth i'w fwstás godi a disgyn fel cynffon gwiwer. 'A beth wyt ti'n ei wybod am reolau Cymdeithas Hybu Pêl-droed Ysgolion Cymru?'

'Fi yw ysgrifennydd y gymdeithas,' meddai Dafydd.

Camodd tad Arwyn yn nes at Dafydd, fel pe bai'n dweud, 'A fi yw ei ffrind e.'

'Ydi e'n dweud y gwir, Myrddin?' gofynnodd y mwstás i Mr Mathews.

Nodiodd Mr Mathews.

'Fe ddylai hyfforddwr Cenawon A fod wedi'ch ffonio chi cyn i'r gystadleuaeth ddechrau os oedden nhw am chwarae'r gêm rywbryd eto,' meddai Dafydd, a nodiodd tad Arwyn i ddangos ei fod yn cytuno â phenderfyniad Ysgrifennydd Cymdeithas Hybu Pêl-droed Ysgolion Cymru. 'Os nad ydyn nhw'n troi i fyny ar ôl i'r gystadleuaeth ddechrau, yna arnyn nhw mae'r bai, ac maen nhw'n fforffedu'r gêm. A'r tîm sy'n mynd trwodd i'r rownd nesa yw BMG Unedig.'

Gwingodd Mr Mathews.

Disgynnodd mwstás y dyfarnwr yn llipa.

Gwenodd tad Arwyn a rhoi ei fraich am ysgwyddau Dafydd Williams.

'Trwodd i'r rownd nesa,' meddai Dai Un.

'All unrhyw beth ddigwydd nawr,' meddai JJ.

'Rydyn ni wedi maeddu Cenawon A,' meddai Hefin.

'Ar reol dechnegol,' meddai tad Arwyn, rhag ofn y byddai pawb yn colli eu pennau.

'Mae hynny'n digwydd drwy'r amser mewn bocsio, on'd yw e?' meddai Dewi.

'Wel, ydi,' meddai tad Arwyn, yn gorfod cytuno.

Roedd y tîm i gyd yn eistedd yn Macbyrgyr yn mwynhau eu 'buddugoliaeth'. Dim ond gêmau'r gynghrair oedd yn gêmau pryd-am-ddim yn Macbyrgyr fel arfer, ond roedd heddiw wedi bod yn ddiwrnod a hanner, a chredai tad Arwyn fod y tîm yn haeddu rhywbeth ar ôl yr holl gyffro.

'Hei! Edrychwch!' meddai Dewi.

Cododd pawb eu pennau. Roedd un o weithwyr Macbyrgyr wrthi'n rhoi llun mawr ar y wal. Llun mawr o BMG Unedig. Cerddodd dwy ferch, a oedd yn disgwyl i'w mamau brynu bwyd iddynt, draw i edrych ar y llun.

Gwenodd aelodau BMG Unedig ar ei gilydd. Enwogrwydd yn Macbyrgyr a mynd drwodd i rownd nesaf Cwpan y Clwb Cinio. Roedd blas hyfryd ar lwyddiant.